EL SR. MIL-PÚAS

UNA ESPINOSA HISTORIA DE AMOR

TEXTO
KARA LaREAU / ILUSTRACIONES
SCOTT MAGOON

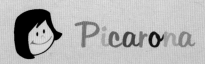 Picarona

Para Neal, mi compañero en asuntos espinosos. K. L..

Para Jim y Jean, un par muy cariñoso. S. M.

Puede consultar nuestro catálogo en www.edicionesobelisco.com / www.picarona.net

EL SR. MIL-PÚAS
Texto de *Kara LaReau*
Ilustraciones de *Scott Magoon*

1.ª edición: octubre de 2014

Título original: *Mr. Prickles*

Traducción: *Joana Delgado*
Maquetación: *Montse Martín*
Corrección: *M.ª Ángeles Olivera*

Edita: Picarona, sello infantil de Ediciones Obelisco, S. L.
Pere IV, 78 (Edif. Pedro IV) 3.ª planta, 5.ª puerta
08005 Barcelona - España
Tel. 93 309 85 25 - Fax 93 309 85 23
www.picarona.net
www.edicionesobelisco.com

ISBN: 978-84-16117-06-2
Depósito Legal: B-11.757-2014

Printed in India

El señor Mil-Púas no era un hombre especialmente amigable.

Gran parte de la antipatía del señor Mil-Púas
se debía al hecho de que era un puercoespín.

A los puercoespines,
por su propia naturaleza,
es muy difícil acercarse.

Al principio, el señor Mil-Púas intentó hacerse amigo de los otros animales del bosque.

Trató de unirse a ellos en sus juergas nocturnas, pero fue en vano.

Intentó formar parte de sus merendolas
de media noche,

pero fue inútil.

Quiso dormir con ellos en sus madrigueras,

pero le hicieron saber claramente que sobraba.

Siempre le decían lo mismo.

—Tú no eres tan bonito como nosotros
–decía el mapache.

—Ni tan cariñoso como nosotras
–afirmaba la ardilla listada.

—Ni tan juguetón como nosotras
–añadía la mofeta.

—Sí lo soy –les contestaba
el señor Mil-Púas–. En mi interior.

Pero nadie le creía.

Cuánto más le rehuían
los otros animales,
más solo se sentía
el señor
Mil-Púas.

Muy solo.

Empezó a sentirse furioso.

Incluso empezó a sentirse como si tuviera púas también por dentro.

Muchas púas.

Cada noche, mientras los otros animales jugueteaban en el bosque, el señor Mil-Púas los observaba desde el hueco de un árbol con una mirada punzante.

Por desgracia, a los otros les importaba un bledo.

—Los puercoespines son muy poco amigables –afirmó el mapache.

—Por no añadir peligrosos –dijo la ardilla listada.

—Y no como nosotras –comentó la mofeta.

Una noche, mientras el señor Mil-Púas
contemplaba a los otros animales,

se dio cuenta de que en el tronco de al lado había otro puercoespín.

—Soy la señora Puntiaguda —dijo la puercoespín.

—Yo soy el señor Mil-Púas —se presentó el Sr. Mil-Púas.

Los dos sabían que era mejor no estrecharse las manos,
así que, en vez de eso, se lanzaron unas miradas muy agudas.

A partir de entonces, juntos, el señor Mil-Púas y la señora Puntiaguda observaban con unas miradas especialmente agudas cómo jugueteaban los otros animales.

—Tanto mirar y mirar es aburrido —dijo finalmente la señora Puntiaguda.
—Tienes razón —intervino el señor Mil-Púas.

—Vamos —dijo ella—. No se puede resistir tanta diversión.

De modo que los dos puercoespines
dejaron sus troncos y se fueron a pasear.

Nadaron y chapotearon en las aguas frías y oscuras del lago.

Cenaron ramitas y cortezas, hojas de col y tréboles.

Contemplaron cómo salía la luna y se reflejaba en el agua.

—Es bonito estar aquí fuera ¿verdad? —preguntó la señora Puntiaguda.

—Muy bonito —dijo el señor Mil-Púas.

De vuelta a casa, los puercoespines se encontraron con los otros animales.

—¡Bueno, pero si son Púas y Espinas! –dijo el mapache.

—¡Se les ve muy punzantes! –añadió–. ¡Dolorosamente punzantes!

—¿Y cómo se abrazan los puercoespines? –preguntó la mofeta–. ¡Tendrán que tener muchísimo cuidado!

Pero, afortunadamente, a los puercoespines no parecía importarles nada.

—¡Uy, qué chistes más malos! –dijo la señora Puntiaguda.

—No son tan graciosos como yo pensaba –afirmó el señor Mil-Púas.

—Ni tan divertidos –añadió la señora Puntiaguda.

—Ya no me siento tan espinoso en mi interior

–comentó el señor Mil-Púas.

—Yo tampoco –dijo la señora Puntiaguda.
Y el señor Mil-Púas se dio cuenta de que la soledad
en compañía es mucho más agradable.

Y, lo que es más importante, aprendió que los puercoespines saben abrazarse con mucho cuidado.

Y muy a menudo.